변해 가는 북한 풍경
1950-2008

For Fired Ritchin!

With Best regards

Jan 5. 2011.

Seoul. Lim.

CHANGING SOCIAL LANDSCAPE
DEMOCRATIC PEOPLE'S REPUBLIC OF KOREA
[1950–2008]

대구포토비엔날레 특별전

변해 가는 북한 풍경

임영균 엮음

눈빛

사진가 임영균은 대구 출생으로, 뉴욕 대학교 겸임교수를 역임한 바 있으며, 현재 중앙대학교 사진학과 교수로 있다.
1988년부터 공간미술관 큐레이터를 거쳐 한국에서 처음으로 제1회 서울포토트리엔날레(1998)를 조직하였고,
이를 기반으로 하여 이루어진 제2회 서울포토트리엔날레(2005)를 서울시립미술관에 유치하였다.
저서로 『사진가와의 대화』(눈빛출판사), 『일상의 풍경』(열화당), 『예술가의 초상』(안그라픽스),
역서로 『다큐멘터리 사진론』(눈빛출판사) 등이 있다.

Photographer Lim, Young Kyun, born in Daegu is a Professor at the Photography Department of Chung-Ang University
and was an adjunct Professor at New York University. He founded the 1st Seoul Photo Triennale in 1998. And he continued
the 2nd Seoul Photo Triennale at the Seoul Museum of Art in 2005. He published *Conversation with Photographer*(Noonbit Publishing Co.),
Daily-life-Landscapes(Youlhwadang Publisher), *Portraits of Artist*(Ahn Graphics Ltd.) and translated Arthur Rothestein's
Documentary Photography(Noonbit Publishing Co.) into korean.

변해 가는 북한 풍경 1950-2008

초판 1쇄 발행일 — 2008년 10월 27일 발행인 — 이규상 발행처 — 눈빛출판사 서울시 마포구 상암동 1653 이안상암2단지 506호
전화 336-2167 팩스 324-8273 등록번호 — 제1-839호 등록일 — 1988년 11월 16일
큐레이터 — 임영균 어시스트 큐레이터 — 박정아
책임편집 — 남승헌 편집 — 김학기·손그림 표지디자인 — 문예란 제작 진행 — 정계화·고성희·박보경
출력 — DTP하우스 인쇄 — 예림인쇄 제책 — 일광문화사
값 20,000원

Changing Social Landscape : DEMOCRATIC PEOPLE'S REPUBLIC OF KOREA 1950-2008

Curator — Lim, Young Kyun Assistant Curator — Park, Junga
Editor — Nam, Seungheon Editorial Staff — Kim, Hakki · Son, Grimm Bookcover Design — Moon, Yearan
Published by Noonbit Publishing Co., Seoul, Republic of Korea
ISBN 978-89-7409-198-9

Printed by Epson Stylus Pro Series on Epson Premium Luster Photo Paper (260)

서문

임영균

Preface

Lim, Young Kyun

1. 지구상의 유일한 분단국가

역사의 긴 흐름에서 볼 때 모든 국가는 갈라졌다가 다시 모이고 흩어지기를 반복한다. 20세기 중엽, 제2차 세계대전 후에 분열되었던 동독과 서독은 통일되었고, 공산이념이 붕괴된 후 소련이 해체되어 동유럽의 여러 국가가 독립되었으며, 그런 와중에 체코슬로바키아는 체코와 슬로바키아로 다시 민족적으로 갈라지는 운명을 맞이하였다. 이제 이 지구상에서 유일하게 분단국가로 남아 있는 남한과 북한도 21세기에는 다시 합칠 때가 있을 것이라고 생각한다.

우리나라의 지난 5천 년 역사를 돌이켜 볼 때도 고조선에서 삼한시대를 거쳐 삼국시대에서 통일신라가 되었고, 후삼국을 거쳐 고려시대에는 징기스칸이 이끄는 몽고군에게 큰 어려움을 겪었으나, 원나라가

1. Earth's Only Divided Nation

In the history of the world, many countries have been divided and come together only to be divided again. In the mid-20th century, East Germany and West Germany, divided after the World War II, were united. The Soviet Union was dismantled after the communist ideology collapsed. Many countries in Eastern Europe became independent. At that time, Czechoslovakia was divided into two nations, the Czech Republic and Slovakia. South Korea and North Korea, currently the only divided nations in the world, may face a moment of unification in the 21st century.

When we look back on Korea's 5,000-year history, there was Gojosun, the first nation. Then after the Three Han period and Three kingdoms period, Shilla united the nation, and thus became United Shilla. In the Koryo Dynasty period,

패망하고 명나라가 다시 일어난 14세기에 우리는 다시 조선시대를 개막하게 되었다. 현재 우리가 살고 있는 남북한의 영토는 14세기 조선시대의 영토를 기반으로 하고 있다.

그러나 안타깝게도 19세기 말부터 시작된 세계 열강들의 제국주의의 물결에 국내 정치가 적응하지 못해, 1910년부터 치욕스런 일제강점기를 거치게 되었다. 일본의 제2차 세계대전 패망과 더불어 맞이한 1945년 해방은 다시 열강들의 계략에 의해, 수천 년을 이어 온 한반도의 허리가 남과 북으로 갈라지는 더 큰 비극을 맞이하게 되었다.

2. 세계인들의 남북한에 대한 관심

1998년 5월, 미국 시카고 콜럼비아 칼리지에 소재한 현대사진미술관에서는 대규모의 한국 현대사진전이 열렸다. 미국에서 한국의 현대사진에 관해 열린 첫 전시였다. 개막행사의 일환으로 미국학계에서 한국학의 권위자인 시카고 대학의 브루스 커밍스 석좌교수도 초청해서 한국현대사에 관한 세미나를 가졌다.

그리고 그 전시는 호평을 받아 2000년 4월 샌프란시스코 아시아 미술관에서 다시 열렸다. 그곳에서도 역시 국내 사진가와 미국 현지 관객과의 직접 소통을 위해서 질문의 시간을 가졌다. 한 젊은 관객이 사진작품에 관한 것이 아닌, 뜻밖에도 한국이 과연 통일될 수 있다고 생각하는지에 관해 질문했다.

내가 답변을 했다. 한국의 구성원은 대부분이 단일민족이고, 긴 역사로 보면 몇 번 흩어졌지만 그때마다 다시 통일된 예가 있기 때문에

the country suffered the invasion of the Mongolian Army, led by Genghis Khan. When the Yuan Dynasty collapsed and Ming Dynasty came to power in the 14th century, the Chosun Dynasty era began again. The present territory of South and North Korea originates from the territory of Chosun Dynasty in the 14th century.

Unfortunately, domestic policy was unable to adjust to a wave of expansionism by the World Powers, which started at the end of the 19th century. In 1910, South Korea underwent a period of shameful Japanese occupation that lasted until the Japanese defeat at the end of the World War II. However, the Korean liberation of 1945 was short-lived. Controlled by the World Powers, Korea faced another tragedy — being divided into two again.

2. Worldwide Interest in North and South Korea

In May 1998, a contemporary Korean photo exhibition opened on a large scale at the Museum of Contemporary Photography situated in Columbia College Chicago. It was the first time such an exhibit opened in the United States. As part of the opening ceremony, the chair — professor Bruce Cumings of The University of Chicago — who was renowned for Korean studies was invited to have a seminar on the modern history of Korea.

The exhibition received a warm welcome, and opened again at Asian Art Museum in San Francisco in April 2000. At a Q & A session for Korean photographers and spectators, a young American asked a question — not about the photography, but whether Korea could be united.

Korea is a racially homogenous nation, I answered. When we look back on

반드시 통일될 것이라 믿는다고 했다.

그랬더니, 그는 그러면 언제쯤 통일이 될 거라고 생각하는지 물었다. 나는 국제상황은 변수가 많지만 빠르면 10년 늦어도 20년 후에는 통일이 반드시 될 것이라고 기원을 담아 관객에게 답변해 주었다. 미국에 사진전을 하러 갔다가 예상치도 않게 미국 젊은이에게 우리나라 통일에 관한 질문을 받고 우리나라의 통일 문제에 대해 곰곰이 생각해 보았다. 그러고 보니 우리 민족의 가장 중요한 사안인 통일에 관해 심각하게 고민을 해본 지가 10년이 다 되었다.

3. 나는 한국에서 태어난 사진가이다

나는 한국에서 태어난 사진가로서 북한에 가고 싶었다. 나의 가까운 친척이 북한에 있는 것은 아니지만 북에 있는 산하를 직접 보고 마치 중국에 가서 조선족을 만나듯이 북한에 있는 동포들도 만나고 싶었다.

1980년대 내가 미국에서 처음 접한 크리스 마커의 사진집 『북녘 사람들』에 나오는 아름다운 북한을 가고 싶었다. 그리고 최근 2007년 봄에는 평양에 있는 조선미술관 남한 전시품 수집 학예원 자격으로 북한에 갈 기회가 있었지만 성사되지 못하였다. 아직도 남한 사람들의 북한 여행은 매우 제한적이다. 단체관광이나 특정 지역의 관광만 허락될 뿐이다. 중국이나 영국 등의 국적을 가진 외국인들보다 나처럼 한국 국적을 가진 사람이 방문하는 데에 어려움과 불이익을 더 당하고 있다.

왜일까? 다른 어떤 국가들에 비해 북한은 그 상황이 특별하게 보인

our past, we have been divided many times. But there have also been examples of unification, I said. I believe that we will be again.

The American asked when I thought we would be unified. I answered that although there are many variables in the international environment, I thought that we would be unified in as early as 10 years, but no later than 20 years. I went to the US for a photo exhibition, but ended up thinking about our country's unification because of an unexpected question from a young American. It had been 10 years since I had given a serious thought to the issue of unification — it is nevertheless very important to our country.

3. Searching For My Countrymen

As a Korean, I wanted to go to North Korea to meet my fellow countrymen. I have no relatives in North Korea, but I wanted to meet people of my own ancestry, just as we meet Chinese people of Korean descent, and take a look at the mountains and rivers of the North.

I also wanted to visit the beautiful North Korea I saw in the collections of North Korean pictures *Coréennes* by Chris Marker which came into my hands for the first time in the US in the 1980's. I almost had the chance to go to North Korea on a collections trip for the South Korean exhibit at Chosun Art Museum in Pyongyang in the spring of 2007. But permission to visit North Korea is very limited to South Koreans. We can only take part in group tourism, visiting special zones. People like me have more difficulties and disadvantages than foreigners with Chinese or English nationality when we try to visit.

Why is that? I am an outsider in the complex and diverse world of politics.

다. 나는 복잡다양한 정치적인 현실에는 정말 문외한이다. 단지 나는 한민족인 남북한이 더 이상 열강들의 틈바구니에서 국제정치의 희생물이 되지 않기를 바란다. 이번 사진전을 계기로 남북한을 객관적으로 보고 싶었을 뿐이다.

4. 왜 많은 외국 사진가들이 어려운 상황을 겪어 가며 북한을 촬영했을까?

그것은 인류애에서 비롯된 사진가 특유의 호기심 때문이라고 생각한다. 이런 어려운 와중에 외국의 젊은 사진가들이 북한에 관심을 가져주고, 몇 차례씩 방문해서 해외 여러 곳에서 전시하고 책도 출판한다는 것은 나에게는 대단히 고무적인 일이다. 내가 못한 일을 그들이 대신해 주고 있다.

　이번 사진전은 1950년대부터 2008년까지 촬영한 12명의 각각 국적과 세대가 다른 사진가들의 시각을 통하여 그들의 목소리를 전달하려고 한다.

　1950년대 전쟁 중에 촬영한 마가렛 버크-화이트의 사진에서는 유교를 중시하는 전통적인 농경사회의 모습이 보이고, 남과 북에 군사분계선이 생긴 뒤 처음으로 북한을 방문한 크리스 마커의 서예가 초상사진 등에서는 권위에 존경심마저 느낄 수 있는 시각이 돋보인다. 특히 1970년대 촬영한 남한 출신 사진가 김희중의 사진을 보면 아름다운 전원풍경과 가을 추수의 풍요로움 속 농민들의 표정에서 마음의 여유를 느낄 수 있다.

My only wish is that one nation, i.e., South Korea and North Korea, does not become the victim of international policy. Korea should not be sandwiched between the World Powers any more. I hope this photo exhibition is a chance to look at South and North Korea objectively.

4. Why did so many foreign photographers go to so much trouble to take pictures of North Korea?

I think it stems from the curiousity of photographers, and their love of humanity. Amid difficult times, young foreign photographers took an interest in North Korea and visited the country several times. They did exhibitions in many places around the world and published books. I am grateful for that. They did what I am unable to do.

　The situation in North Korea is unique when compared to any other country in the world.

　In pictures taken by Margaret Bourke-White during the Korean War in 1950s, we can see a traditional agrarian society which values Confucianism. In the calligrapher portrait photo by Chris Marker, the first to visit North Korea after the appearance of Military Demarcation Line between the South and North, one can observe authority as well as respect. When one looks at pictures taken by H. Edward Kim, a South Korean photographer in the 1970s, one can feel the peace of mind in the farmer's expression, the abundant autumn harvest and beautiful rural scenery. In pictures taken by young photographers from home and abroad since 2000, we can catch a glimpse of tradition and dignity

최근 2000년대 이후 촬영한 국내외 젊은 사진가들의 사진에서는 단편적인 것 같아 보이지만, 그들 사진 속에는 공통적으로 시대의 흐름에도 변하지 않는 전통과 인간의 존엄성을 엿볼 수 있어 밝은 미래를 기대해 본다.

세계사의 흐름에서 볼 때 모든 국가는 갈라졌다가 다시 모이고 흩어지기를 반복한다

끝으로 이 전시를 있게 해준 2008 대구사진비엔날레 조직위원회와 참여해 준 사진가들에게, 그리고 열악한 환경 속에서 「변해 가는 북한 풍경」을 같이 준비해 준 스태프들에게 고마움을 표하고 싶다.

2008년 10월 3일 개천절,
서울

of human beings. That tradition and dignity does not fade in the stream of modern times.

I have tried to convey the voices of different countries and different times, from the 1950s to 2008, through the eyes of gifted photographers. We cannot protest against the ongoing flow of history.

From the perspective of global history, all countries are divided to be united again. This process will repeat itself over and over again.

Finally, I would like to express my sincere gratitude to the organization committee of the 2008 Daegu Photo Biennale. They made this event possible. I would also like to thank the photographers for participating, as well as the staff for their dedication as they worked to prepare "Changing Social Landscape : DEMOCRATIC PEOPLE'S REPUBLIC OF KOREA 1950-2008."

On National Foundation Day,
October 3rd, 2008
Seoul

역사의 새로운 창

브루스 커밍스 | 시카고 대학교 역사학과 석좌교수

New Window of History

Bruce Cumings | University of Chicago

대구사진비엔날레의 특별전 가운데 하나인 「변해 가는 북한 풍경」전의 사진은 북한에 관한 흥미진진한 컬렉션을 넘어 최고의 사진가들이 빚어낸 작품이기도 하다. 이 가운데 3인의 사진가는 말이 필요 없는 세계적인 예술가들이다.

크리스 마커의 『북녘 사람들』(쇠이으 출판사, 프랑스, 1959 / 눈빛출판사, 한국, 2008)은 현재로서는 구하기가 어렵지만 북한에 관한 영화적 사진 기법을 도입한 하나의 고전으로 평가할 수 있다. 아방가르드 영화감독이자 뛰어난 사진가인 그는 한국전쟁이 끝나고 얼마 되지 않아 북한으로 들어가 초토화한 냉전의 이미지와는 전혀 다른 사진을 필름에 담았다. 그는 북한 사람들의 일상, 그중에서도 여성들의 삶에 자주 초점을 맞추었고, 끔찍할 정도로 파괴된 현장의 한가운데서도 생기를 잃지 않은 채 차분하고 이상할 정도로 매력적인 사람들을 보여준다.

This collection includes not simply a number of fascinating photographs of North Korea, but a collection done by a handful of the world's best photographers. I do not know the work of all of them, but three are simply world-class artists.

Chris Marker's book, *Coréennes*, may be the one photographic account of North Korea that can be called a classic — however difficult his book may be to find. An avante-garde filmmaker and brilliant photographer, Marker got into North Korea shortly after the war ended and produced a countertext that subverts the Cold War image of this devastated country. Focusing on daily life and frequently on women, he presents to us stoic and uncommonly handsome people, somehow thriving in the midst of an awful destruction.

Some are proletarian, like men and women dancing to accordions in a public

그의 사진 중에는 공원에서 아코디언 연주에 맞춰 춤을 추는 남녀 프롤레타리아 계급이 있는가 하면 태연한 표정으로 복구 장면을 바라보며 지나치는 세련되고 눈에 띄는 남자도 있다. 여성들은 석탄통을 나르고 트럭을 운전하며 철강소에서 일을 하지만, 자식을 돌보는 모습이나 카메라를 향해 미묘한 호기심을 보이는 모습도 있다. 한 여인은 '사회주의 세계의 힘찬 전진'을 알리는 소련의 스푸트니크 인공위성 발사 성공 포스터를 자세히 들여다보며 낡은 모포와 싸개로 아이를 싸서 업고 있다. 크리스 마커의 사진은 이른바 적이라 불리는 북녘 사람들의 휴머니즘에 대한 잊을 수 없는 찬사이다. 그의 사진은 우리에게 미 공군이 자행한 참상과 그럼에도 불구하고 거짓말 같은 회복력을 보여주는 북녘 사람들의 모습을 감상할 기회를 준다. 그의 사진집이 미국 사회에 거의 알려지지 않은 이유는 바로 이 때문일 듯싶다.

이 거장이 빚어낸 사진의 추상성은 역사의 새로운 창을 열고 새로운 소통을 제시한다. 영화의 동시성과 연속성은 그 연속적인 흐름 속에 뒤얽혀 있는 의미를 향해 우리가 이입될 경우에는 효과적이지만, (사진의 기초인) 개개의 프레임이 지닌 의미는 왜곡한다. 반면에 사진은 (필름 속에서 징표를 찾는 역사학자인) 편집자의 의도를 왜곡한다. 그러나 그 자체로 놓고 보면 사진은 충분한 생각과 감상을 자극한다.

이렇듯 우리를 멈춰 세워 바라보고 생각에 잠기게 하는 사진의 고유한 특징은 마가렛 버크-화이트의 작품에서도 나타난다. 한국전쟁은 미국에서 거의 항상 '잊혀진 전쟁'이라고 불린다. 그것은 한국전쟁이 미국에서는 매카시즘의 전성기 동안 일어난 사건인 데다 보수적인 공

park, but some are rakish and arresting, like a man observing reconstruction work with an insouciant air. The women carry hod, drive trucks and make steel, but also dote on their babies or cast subtly inquisitive glances toward the camera; one has her baby tied to her back with timeworn blankets and wraps, while peering intently at a poster announcing the success of the Soviet Sputnik, and thus "the forward march of the socialist world." Marker's photos are an indelible tribute to the humanity of the enemy, allowing us to pause and drink in the devastation the US Air Force wrought, and the incredible powers of resilience of ordinary people. Perhaps for that reason his book is almost entirely unknown in the United States.

The abstraction of the still photograph in the hands of a master like Marker opens a new window on history, and a new interaction with history. The immediacy and flow of the motion picture succeeds when it carries us with it, toward some meaning which is inextricable from the sequence of the flow, but which also distorts the meaning of the individual frame (the basis of the still): the still photo, however, distorts the meaning of the editor (who is the historian of filmic evidence). Standing by itself, the still provokes thought and reflection.

This arresting aspect of the still photo, asking us to pause, look and think is also characteristic of Margaret Bourke-White's oeuvre. The Korean War is almost always called "the forgotten war" in the US. It happened during the height of the McCarthy period in America, and it is no icon for either the Republican conservative or the Democratic Party liberal, it merely symbolizes an absence, mostly a forgetting, but also a never-knowing. The result is a kind of hegemony

화당이나 진보적인 민주당 어느 쪽의 쟁점도 아니었기 때문이다. 그것은 다만 어떤 부재, 대개는 잊혀진 부재를, 그러나 애초부터 모르던 부재를 상징한다. 그 결과 망각의 헤게모니가 형성된다. 여기서 이 전쟁과 관련한 거의 모든 사실은 매장된 역사가 된다. 이렇게 볼 때 망각의 법칙은 "누구누구의 모든 사진(또는 회화, 책, 영화)이 한반도에 관련한 것만 제외하면 흥미롭다"는 말이 될 수도 있다. 용기 있는 여성 포토저널리스트 마가렛 버크—화이트가 한반도의 독특한 상황, 즉 남한에서 벌어졌던 '독특한' 전술의 게릴라 전쟁에 맞춰 그녀의 카메라적 시선을 단련시켰다는 것은 수년 동안 그녀의 책을 읽은 뒤에야 알 수 있게 된 사실이었다. (다른 예로, 마릴린 먼로가 유명세를 타기 시작한 것도 상당 부분은 한국전쟁 당시 미군들의 핀업—걸 때문이었는데 이는 그녀가 전쟁이 한창일 때 '등장'했고 '미스 화염방사기'라는 별명이 붙었다는 점을 통해서도 알 수 있다.) 마가렛의 수많은 사진이 사진가들을 위한 가장 크고 돋보이는 지면 가운데 하나인 『라이프』지에 실렸는데, 여기서 다시 한 번 강조할 것은 아무리 그녀가 위대한 사진가이고 아무리 많은 사람들이 그녀의 사진을 본다고 하더라도 그것이 한반도에 관련된 것이라면 아무도 그것을 기억하지 못할 것이라는 점이다.

구보타 히로지의 상당히 사려 깊은 북한 사진은 이 작가의 엄청난 이력을 강조해 준다. 즉 그의 북한 사진은 대규모로 진행한 미국과 중국, 일본에 관한 대중적인 사진집 그리고 매그넘 작가들과 함께 남한을 촬영한 새롭고 경이로운 사진집을 한층 더 빛내 준다. 때론 정답고 때론 지쳐 있거나 무심한 북한 사람들의 모습을 보고 있노라면 북녘

of forgetting, in which almost everything to do with this war is buried history. A rule of this amnesia might be, "all of so-and-so's photographs (or paintings, or books, or cinema) are interesting except those done about Korea." It took years of reading to find out that the intrepid woman journalist Margaret Bourke-White had her camera-eye trained on the unconventional in Korea, literally the "unconventional" guerrilla war in the South (or for another example, that Marilyn Monroe's career owed so much to her being the pin-up girl of the Korean War, "discovered" during its height and nicknamed "Miss Flamethrower"). Many of Bourke-White's photos were published in *Life* Magazine, one of the biggest and best venues for photographers, which again makes the point that however great a photographer may be or however many people see her photos, if her photos are about Korea no one will remember them.

Hiroji Kubota's wonderfully observant photos of North Korea underline the amazing career that this photographer has had, with huge, popular photo albums produced about America, China, Japan, and, with a team of Magnum photographers, a brand new and quite wonderful album about South Korea. When we look at the faces of the North Korean people, some of them friendly, some of them careworn and blank, we are reminded of the ubiquitous slogan seen all over the North "we have nothing to envy in the world." Pyongyang is a showplace, but citizens cannot travel to it from the countryside without a permit, and only the most reliable can travel abroad, to see if indeed there is anything to envy in the rest of the world. Hiroji Kubota is also among the few foreigner photographers to have traveled extensively in the countryside, far from and very

어느 곳에서나 볼 수 있는 "세상에 부러울 것 없어라"는 슬로건이 떠오른다. 평양은 명소지만 시골 사람들은 허가 없이 구경 갈 수 없다. 오직 당이 가장 신뢰할 수 있는 자들만이 실제로 세상 어딘가에 부러울 것이 있는지 알아보기 위해 해외로 여행할 수 있다. 구보타 히로지도 수도 평양에서 아주 멀고 전혀 다른 느낌의 시골로 두루두루 여행할 수 있었던 몇 안 되는 외국인 사진가이다. 그래서 그가 기록한 사진은 어떤 면에서도 훌륭할 뿐만 아니라 크리스 마커의 사진처럼 매우 희귀하다.

나는 가능한 한 많은 사람들이 이들 사진 앞에 멈춰서서 음미하고 곰곰이 생각에 잠길 수 있는 시간을 가졌으면 한다. 그리고 다음과 같은 진실에 관해 생각해 보기를 바란다. 조선민주주의인민공화국에는 2,300만의 평범한 사람들이 살고 있다. 그들은 우리의 형제들이자 자매들이다. 그들은 우리의 관심과 염려와 배려와 호의를 받기에 충분한 사람들이다. (번역 _ 남승헌)

2008년 10월

different than the capital city. His photographic record is thus both brilliant and, like Chris Marker's, very rare.

I hope that as many people as possible can take the time to pause, examine and reflect upon these photographs, and to think about this truth: 23 million ordinary human beings live in the DPRK, they are our brothers and sisters, and they deserve our interest, our concern, our thoughts, and our best wishes.

October 2008

차 례
contents

변해 가는 북한 풍경 1950-2008

Changing Social Landscape 1950-2008
Democratic People's Republic of Korea

한반도-세계 정세의 변화 Korean Peninsula and the World situation

	1950년대	1960년대	1970년대
한국사			

1960 4·19혁명
1960 5·16군사쿠데타
1964 수출 1억 달러 달성

1960 The Revolution of April 19th
1960 The Military Coup of May 16th
1964 100 million dollars in exports achieved

1972 7·4 남북공동성명
1979 10·26 박정희 대통령 피격 사망

1972 The July 4th South-North Korea Joint Statement
1979 The assassination of President Park, Chunghee

북한사

1968 무장 게릴라 서울 침투

1968 Attack on the presidential palace in
Seoul by 31 North Korean commandos

1950 한국전쟁 발발
1953 조선노동당 중앙위원회 제6차 전원회의, 박헌영 등 7명 숙청

1950 The Korean War. The elimination of South Korean Worker's
Party leaders by Kim, Ilsung

1977 조선통일을 위한 제1차 세계대회, 벨기에 브뤼셀

1977 The enlarged meeting of the executive committee of the
International Liaison Committee for Reunification and Peace
in Korea, Brussels

세계사

1959 쿠바혁명

1959 The Cuban Revolution

1964 베트남전 발발
1968 프랑스 5월혁명

1964 The Vietnam War
1968 The French Revo-
lution of May 1968

1972 닉슨 대통령 방중
1973 전 세계 석유파동

1972 Nixon visit to China
1973 The Mideast Oil Crisis

1980년대

1980 5·18광주민주항쟁
1985 서울, 평양에서 이산가족 고
향방문단 40년 만에 혈육 상봉
1988 제24회 서울올림픽 개막

1980 The May 18th Gwangju Democrati-
zation Movement
1985 The reunion of separated families in
Seoul and Pyonyang
1988 The 24th Seoul Olympics

1984 남한 수재민에 대한 구호물자 인도
1984 Delivery of disaster relief material to South Korea
disaster victims

1985 소련, 고르바초프 페레스트로이카 추진
1985 Mikhail Gorbachev's Soviet Perestroica

1990년대

1997 IMF 외환위기
1998 정주영 현대그룹 명예회
장 방북

1997 IMF currency crisis
1998 Chung, Chuyoung, honorary chairman of Hyundai Group, visit to
North Koea with 500 cows

1994 김일성 사망
1997 김정일, 당 총비서직
에 추대

1994 Kim, Ilsung's death
1997 Kim, Jungll was
named General Secretary
of the Korean Workers'
Party in October 1997

1990 독일 통일
1992 소비에트연방 해체
1999 유로화 공식 출범

1990 German Reunification
1992 The Dissolution of the Soviet Union
1999 The Launch of the Euro

2000년대

2000 남북정상회담
2008 미국산 쇠고기 수입 반대 촛불 집회

2000 The 1st inter-Korean summit meeting
2008 Candlelight Vigil Against US Beef imports

2006 북한 핵실험
2007 56년 만에 남북 철도 연결

2006 North Korean nuclear test
2007 Inter-Korean railway project

2001 9·11 테러
2004 남아시아대지진
2008 서브프라임 사태

2001 September 11 Attacks
2004 Earthquake & Tsunami South Asia
2008 US sub-prime financial crisis

변해 가는 북한 풍경

1950-2008

마가렛 버크-화이트 Margaret Bourke-White USA, 1904-1971

"나의 삶과 경력은 우연이 아니었다."

『포춘』지의 창간 멤버, 『라이프』지 최초의 여성 사진가로 활약한 마가렛 버크-화이트는 포토저널리즘의 새로운 장을 연 신화적인 존재이다. 그녀를 이야기하면 언제나 '최초'라는 수식어를 빼놓을 수 없다. 그녀의 사진 〈포트 펙 댐〉이 1936년 『라이프』지 창간호의 표지를 장식했고, 1941년 독소전쟁에서 독일군이 모스크바를 최초 공습하는 장면을 비롯하여 제2차 세계대전 중에는 미국, 아프리카, 유럽 전선을 전폭격기를 타고 취재한 최초의 여성이 된다. 1950년 남아프리카 공화국의 흑인에 대한 인종차별 실상을 촬영하였고, 1952년에는 한국전쟁을 취재하면서 한국과 인연을 맺었다.

"때때로 나는 마음에 장막을 치고 일했어야 했고, (학살 현장을 취재할 때는) 사진이 프린트되어 나오기 전까지는 나는 내가 무엇을 찍었는지 알 수조차 없었다. 또한 때때로 내 마음은 고통으로부터 벗어났지만 다시 그런 사진을 찍기 위해 내 자리로 돌아가야만 했다. 절대적인 진실은 필수적이며, 그것은 내가 카메라를 통해 바라볼 때마다 나를 일깨우곤 하였다." — 제2차 세계대전 종군기 중에서

일생을 종군하며 인류에 헌신한 그녀가 기록한 한국전쟁 당시 북한의 풍경에는 너무나 평화로운 시골 농민들이 등장한다. 사진 속 북한 주민들을 보고 있노라면 가혹한 전쟁의 참상은 상상할 수조차 없다. 다만 우리네 한민족의 넉넉한 미소만이 있을 뿐이다.

| 박정아

"My life and career was not an accident."

As the founding member of *Fortune* magazine and the first female photographer for *Life* magazine, Magazine Margaret Bourke White is a legendary person who started a new era in photojournalism. The word "first" is a necessity when we talk about her. Her photo <Fort Peck Dam> was the cover of the first issue of Life magazine in 1936. Starting from the Soviet-German War when it broke out in 1941 as the German forces first dropped their bombs in Moscow, she later became the first female war correspondent to fly in a bomber during World War II, taking pictures of the battlefront of America, Africa and Europe. In 1950, she photographed the situation of racial discrimination in South Africa. She got to know Korea while she recorded the Korean War in 1952.

"I had to work with a veil over my mind. I hardly knew what I had taken until I saw the prints of my own photographs. Sometimes I come away from what I am photographing sick at heart, with the faces of people in pain etched as sharply in my mind as my negatives. But I go back because I feel it is my place to make such pictures. Utter truth is essential, and that is what stirs me when I look through the camera." — from notes she wrote as a World War II correspondent

She spent her whole life in battlefields, devoting herself to the entire human race but when you look at her photos of North Korea taken at the time of the Korean War, you can actually see peaceful country people. It's impossible to imagine the miserable state of war just by looking at the North Korean people in them. All you can see is the broad smile of the Koreans.

| Park, Junga

크리스 마커 Chris Marker France, 1921-

1921년 프랑스에서 태어난 크리스 마커는 이론가, 시나리오 작가에서부터 사진가, 영화감독 그리고 다큐멘터리 제작자에 이르기까지 다양한 장르를 넘나드는 그야말로 전방위적인 예술가로 명성이 높다. 우리에게도 친숙한 테리 길리엄 감독의 〈12 몽키즈〉(1995)가 바로 그의 단편영화 〈선창〉(1963)으로부터 직접적인 모티브를 받은 영화이다.

1937년에서 1939년까지 실존주의 사상가 사르트르로부터 철학을 배우고, 1952년부터 실험적인 영화를 제작하기 시작하여 현재까지 매년 다수의 필름을 제작하고 있다. 또한 그는 시네마 베리테의 거장으로서 당대 함께 활동하던 누벨 바그와는 다른 전통을 만들며, 제작 기법이나 내용 면에서 새로운 가능성의 영역을 지속적으로 확장시켜 오고 있다. 〈시베리아에서 온 편지〉(1957), 〈선창〉(1963), 〈멋진 5월〉(1963), 〈태양 없이〉(1982) 등의 주요 작품이 있다.

이번 작품은 한국전쟁 직후 북한의 사회상을 인물과 풍경을 통해 담고 있다. 전후 대부분의 영토가 초토화한 북한, 그리고 이러한 폐허 속에서도 사회주의를 통해 새로운 국가를 건설하려는 북한 주민들의 작은 희망의 몸짓을 외국인의 시선으로 묵묵히 그려 나가고 있다.

프랑스인이라는 제3자의 눈을 통해서 바라본 북한 사회이지만 작품이 전혀 이질적이지 않은 것은 그가 전후 북한 사회를 풍부한 자료를 바탕으로 한 땀 한 땀 수놓듯 애정 어린 시선으로 균형감 있게 기록했기 때문이다.

| 남승헌

Chris Marker was born in France in 1921. He is well known for experimenting with various genres. Being a multidirectional artist, he is a theoretician, screenwriter, photographer, film director, and documentary maker. In fact, the motif of Terry Gilliam's hit movie <Twelve Monkeys>(1995) was from Marker's short film <La Jetée>(1963).

He studied philosophy under the existentialist Jean-Paul Sartre from 1937 to 1939. He started making experimental films in 1952, and has made numerous films every year since then. As a master of Cinema Verite, he created a different tradition from the contemporary French new wave movement and is constantly extending the field of new possibilities in production techniques and film contents. His filmography includes <Lettre de Sibérie>(1957), <La Jetée>(1963), <Le joli mai>(1963) and <Sans Soleil>(1983).

These works show the social aspects of North Korea immediately after the Korean war through the people and landscape. Most of the land lay in ruins, and people were clinging on to a small hope to build a new socialist country within the remains. A foreigner, Marker calmly captured their stories with his camera.

Although the photos are taken by a French man, they do not feel alien. He had plenty of background information about the postwar society of North Korea, and recorded what he saw with respect, while staying neutral.

| Nam, Seungheon

김희중 H. Edward Kim South Korea, 1940-

김희중은 2008 대구사진비엔날레 특별전인 「변해 가는 북한 풍경」전을 통해 1973년 서방 기자 최초이자 『내셔널 지오그래픽』의 기자 자격으로 북한을 취재한 사진을 전시한다. 그의 북한 취재는 전무후무한 것이었기에 사진과 기사가 나가자마자 커다란 반향을 일으켰으며, 그후 전미 해외취재기자단 최우수 취재상을 수상한다. 그 밖에 1979년 백악관 출입기자단 사진취재상 등을 받았으며, 1985년 귀국해 미국 시사주간지 『타임』지 사진기자 등을 지냈다. 1999년에는 제1회 이명동 사진상을 수상하였다.

"취재가 끝날 무렵, 나는 휴전선에서 가까운 호숫가에 누워 10월의 햇살을 받아들이며 한가로이 그동안의 취재기를 정리하고 있었다. 어디선가 노랫소리가 들려오는 듯했다. 고개를 들어 살펴보니 호수 건너편 언덕 위 정자에 서너 명의 군인들이 있었다. 그들의 목소리로 보아 열다섯, 열여섯이나 되었을까. 나라를 위하여 목숨을 바치겠다는 내용의 군가였지만 구슬프게 들렸다.

저 어린 병사들도 집에 계신 부모 형제들을 그리워하고 있을까. 우리는 동족이면서도 이념의 차이로 남과 북이 갈라져 엄청난 피를 흘려 왔다. 만일 지금이라도 한반도에서 이 연약한 평화의 분위기가 깨진다면 저 이름 모를 어린 병사들도 희생을 당하리라 생각하니 슬픈 생각이 들었다. 이곳에서 멀지 않은 산골짜기에서 열일곱 나이의 어린 소위가 전쟁 도발에 휘말려 나라를 지키다 목숨을 거두었으니 그가 바로 나의 형이었다. 다시는 이 땅에서 그런 비극이 재현되지 않아야 한다." — 『내셔널 지오그래픽』에 실린 김희중의 북한 취재 기사 중에서

| 김학기

At the 2008 Daegu Photo Biennale special exhibition, "Changing Social Landscape : DEMOCRATIC PEOPLE'S REPUBLIC OF KOREA 1950-2008", Photographer H. Edward Kim exhibits the pictures he took in North Korea in 1973. He was the first photographer to go to North Korea from the west. He went there as a *National Geographic* journalist. It was a unprecedented event at the time, and as soon as the photos and articles were printed, they created a sensation. As a result, H. Edward Kim received the first prize from the Overseas Press Club of America. In 1979, he was nominated as the photographer of the year by the White House News Photographers Association. He returned to Korea in 1985 and worked as a photojournalist for *Time* magazine. In 1999, he received the most honored award within the nation – the first Lee Myung Dong photo award.

"Relaxing now at lakeside, I become aware of the sound of singing. I look up toward the pavilion and see uniforms. I cannot see the faces but, from the sound of their voices, these soldiers seem no older than 17 or 18. They are singing patriotic songs, one with a line something like, "We will be happy to die to protect our country against foreign invaders." Martial songs – but the singing has a strange quality to it; it sounds sad and hollow.

I wonder if the youngsters are homesick. How sad to think that these faceless young soldiers may have to sacrifice themselves if something should disturb the tenuous balance of peace. Too many tears and too much blood have already been shed by one people over a conflict in ideologies. I fervently hope these young men will never again have to fight their brothers. On a hill not far from here a young captain fought and died, a boy of 17. My brother." — From Rare Look at North Korea, *National Geographic*

| Kim, Hakki

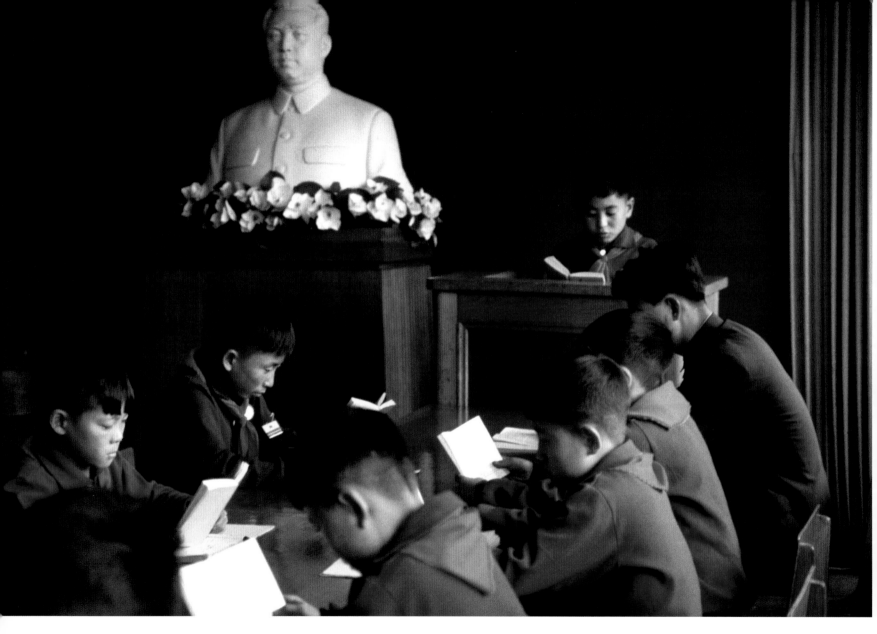

41

구보타 히로지 Hiroji Kubota Japan, 1939-

"나는 아름다운 것들을 사랑하며 사람들의 영혼을 감동시키는 사진을 찍고 싶다. 나에게 사진이란 아름답고도 사적인 무언가를 주고받는 행위이다."

아시아 최초의 매그넘 사진가인 구보타 히로지는 1961년 매그넘 회원들이 일본을 방문했을 때 르네 뷔리, 버트 글린, 그리고 엘리어트 어윗을 알게 되었다. 1962년까지 도쿄의 와세다 대학에서 정치학을 공부하였으나 이듬해 미국 시카고로 건너가 3년간 아르바이트를 하는 등 온갖 고초를 겪으면서도 사진가의 꿈을 버리지 않았다. 마침내 1971년 매그넘 후보회원, 1989년 정식 회원이 된다. 그는 1975년의 사이공 폭격을 목격하면서 아시아에 대한 중요성을 인식하는 계기를 마련한다. 또한 수년간의 시도 끝에 중국 입국을 허가받은 후 1979년부터 1984년 사이 천 일간의 여행을 통해 20만 장이 넘는 사진을 남긴다. 김일성과도 개인적인 친분이 두터웠던 까닭에 그간 북한을 여행했던 여느 사진가들보다도 자유로운 촬영이 가능하였다.

구보타 히로지의 사진을 처음 본 것은 1988년 서울올림픽 개최를 앞두고 한창 들썩이던 초등학교 시절이었다. 그 당시는 서울 '물바다설'에 평화의 댐 건설을 위해 7백억 원의 국민성금이 모금되던 시절이기도 하였다. 어느 날 아버지가 들고 오신 작은 박스 속에는 북녘의 산하를 찍은 사진엽서들이 가지런히 담겨 있었다. 엽서 속에 비단처럼 곱게 펼쳐진 개마고원과 천지, 금강산은 텔레비전 뉴스를 통해서 보고 듣던 어둡고 칙칙한 공간과는 너무나 큰 거리감이 있었다. 지금도 북한을 떠올리면 이 모순적이고 파편화한 기억이 원형을 알아볼 수 없는 콜라주처럼 끊임없이 재배열되어 간다.

| 남승헌

"I love beautiful things, and I want to make pictures that lift people's spirits. I see the giving and receiving of photographs as something beautiful and personal."

Asia's first photographer to join Magnum Photos, Hiroji Kubota became acquainted with Rene Burri, Burt Glinn and Elliott Erwitt when the members of Magnum visited Japan. Hiroji Kubota studied political science in Tokyo's University of Waseda until 1962, but moved to America the following year. Although he worked many different part-time jobs for more than three years, he never gave up his hope of a photography career. He became a Magnum associate in 1971, and finally in 1989, became a full member.

Hiroji Kubota witnessed the bombing in Saigon in 1975, and thus started to realize the significance of Asia. After persistent attempts to get into China, he managed to get the permit and traveled for 1,000 days between 1979 to 1984, leaving more than 200,000 photos. Thanks to his personal friendship with Kim, Ilsung, he was able to use the camera under less restrictions than any other photographers.

I first saw Hiroji Kubota's photos when I was in elementary school. It was when the whole country was excited about holding the 1988 Seoul Olympics. It was also when there were conspiracy theories that North Korea could flood Seoul. People donated up to 70 billion won to construct the Dam of Peace. One day my father brought a small box home, and in the box there were postcards neatly piled up, all reflecting sceneries of North Korea. The Gaema plateau, Heaven Lake, and Kumgang mountain spread out like silk in the pictures gave me a totally different feeling from the dark and gloomy impression I had from the news on TV. Since then, everytime I recall North Korea these endless fragments of contradictory images rearrange themselves like an unrecognizable collage.

| Nam, Seungheon

마리오 암브로지우스 Mario Ambrosius **Germany, 1959-**

스위스계 독일인. 서독에서 출생하여 서베를린 대학에서 문화인류학(M. A.)과 일본학을 전공한 마리오 암브로지우스가 지구상 유일하게 같은 동족이면서도 각각 남한과 북한으로 분리되어 있는 우리의 모습, 분단의 아픔을 카메라에 담았다.

1987년 북한을 여행하면서 그는 끊임없이 감시당하는 '기쁨을 누릴 수' 있었다고 한다. 많은 제약과 어려움 속에서 우리의 아픔을 간접적으로 이해할 수 있는 독일인 사진가의 눈에 비춰진 북한의 모습은 또다른 시각을 제시하고 있다.

현재 일본 잡지의 프리랜서 사진가로 있으면서 도쿄와 베를린을 오가고 있는 그는 일본에서 가장 실험적이고 도발적인 예술가로 널리 알려지면서 일본 현대미술의 역사 속에 소위 '일본스러운' 아티스트로 자리 잡는다. 일본은 물론 아시아의 피가 전혀 섞이지 않았음에도 말이다.

영화, 사진, 문학을 아우르는 거의 모든 예술 장르에 그가 미치는 영향력은 그의 작업이 동서양을 막론한 전 세계에 퍼져 개인과 기업에 소장되어 있다는 것으로도 증명할 수 있을 듯하다.

| 박정아

Mario Ambrosius is a Swiss-German, born in West Germany. He majored in cultural anthropology and Japanese studies at the university of West Berlin. He captured the people living in the one and only nation in the world that is divided into two parts, the North and the South, and the pain of it in his photos.

While travelling around North Korea in 1987, Mario said he "had the pleasure of" being kept under surveillance. This German photographer gained some understanding about the nation's anguish under much restrictions and difficulties, and his photos of North Korea shows us a unique way of looking at the society.

Mario currently works as a freelance photographer for Japanese magazines, and lives in Tokyo and Berlin. He is widely recognized as the most challenging and provocative artist in Japan and credited as one of the most "Japanese" artists in the history of Japanese contemporary art. In spite of the fact that he has no biological relation to Asia, let alone Japan.

Mario's influence can be seen in most of the genres in art — film, photography, literature, and so on. His works belongs to many individuals and companies in the East and the West, all over the world.

| Park, Junga

석임생 Seok Imsaeng South Korea, 1952-

1952년 경남 창녕 출생인 석임생은 30여 년 동안 한국수력원자력(주)에서 근무하였으며, 철사진공모전 대상을 포함, 각종 사진공모전에서 40여 회 입상 및 입선을 한 중견 사진가이다.

그는 1997년부터 2004년까지 한반도 에너지 개발기구(KEDO) 사진실 소속으로 북한 신포 경수로 건설현장에서 근무를 하였다. 그런 와중에 극심한 식량난에 시달리던 이른바 '고난의 행군' 시기와 일상에서의 혼란스러운 모습들을 직접 목격하였다. 그는 처참한 현실을 그대로 묻어 두는 것은 사회와 역사에 대한 도리가 아니며, 북녘 동포들의 생활상을 남한 사람들에게 알려야겠다는 생각에 북한의 일상을 꾸준하게 기록하였다.

현재 세계의 많은 사진가들이 북한을 촬영하여 각종 매체를 통해 발표하고 있지만, 그 사진들은 북한 당국에서 제공하는 공간과 제한된 시간 속에서 기록하는 극히 일부분일 뿐이다. 하지만 그는 10여 년 가까운 기간 동안 북한에 머물면서 북한 당국의 일상적인 감시와 통제에도 불구하고, 우리가 그동안 접할 수 없었던 북한의 모습인 농촌과 도시, 자연의 모습, 북한 사람들의 일상을 생생하게 필름에 기록하였다.

"사진에 담겨 있는 북한의 사람들은 비록 어렵게 살고 멀리 떨어져 있기는 하지만 다정스럽게 다가오는 우리 고향의 이웃들이었다. 비록 제한된 공간에서 이루어진 작업이기는 하지만 나의 사진에는 꾸며지지 않은 북한의 일상이 '재현'되어 있다." ― 석임생, 『북녘 일상의 풍경』, 서문 중에서

| 김학기

Photographer Seok, Imsaeng was born in 1952 in Changnyeong, Kyungnam. He is a photographer with a steady career. He was an employee at Korea Hydro & Nuclear Power Co. Ltd for over 30 years, and has won prizes or been selected for exhibitions for more than 40 times.

He worked at the construction site of the light water reactor at Shinpo, North Korea as a photographer in the Korean Peninsula Energy Development Organization(KEDO) from 1997 to 2004. During those years, he has seen the famine known as "Arduous March" and saw the chaos in the people's daily lives. He came to the conclusion that it was simply wrong to neglect the grim situation and decided to publicize the life of the North Korean compatriots to South Korean people for the sake of history and society. Since then, he consistently recorded the daily life of North Koreans.

Today, photographers from all over the world take pictures of North Korea and release them via various media. But those photos show us a very small part of the country since they can only be taken when and where they are allowed by the authorities. Meanwhile Seok, Imsaeng vividly recorded the rural areas and cities, the sights of nature, the daily life of North Koreans-things we did not know before － while he stayed in North Korea for about 10 years, regardless of the severe surveillance and regulation.

"The North Korean people in the photos might lead a hard life and live at a distance from us, but nevertheless are our kind neighbors. Although I had to work in restricted places, you can observe the genuine life of the people "appearing" in my photographs." ― From *Landscape of North Korea's daily life*

| Kim, Hakki

노순택 NOH Suntag South Korea, 1971-

『분단의 향기』(2004), 『얄웃한 공』(2006), 『붉은 틀』(2007)을 작업해 오면서 그는 우리 사회의 '분단'이라는 주제에 대하여 다각적인 방식으로 접근한다. 사건은 일방향적으로만 진행되지 않는다. 분단이라는 거대한 사건 역시 오래된 역사만큼이나 상호모순으로 점철되어 왔다. 그는 모순이 발생하고 있는 현장에서 단서들을 포착하고 수집하며 분류한다. 이러한 분석을 토대로 만들어진 작품의 유기적인 구성력은 한편으로는 브레히트의 소격효과를 통해 이루어지는데, 이를 통해 작가와 독자 사이에서 발생하는 소통의 오류 내지는 인식론적인 함정에서 벗어나려고 한다. 게다가 이러한 방법론은 그동안 우리가 믿어 왔던 현실이라는 견고한 벽을 하나씩 무너뜨리는 계기를 마련한다.

　　분단은 단순히 휴전선이라는 물리적 공간에 한정되지 않고 광주 망월동 묘지에서, 미군들의 작전 현장에서, 우익집단의 집회에서, 탈북화가의 전시회에서, 대추리의 들판 위에 박혀 있는 '얄웃한 공'의 아우라가 만들어내는 초현실적인 공간에서, 더 나아가 분단 그 자체를 이윤의 수단으로까지 만들어 버리는 우스꽝스러운 모습에서 다양하게 묘사되고 있다. 북한을 촬영한 사진 역시 이러한 방법론과 다르지 않다. 어느 관광객의 손가락 사이에 끼워진 담배가 주체사상탑과 교묘하게 비교되는 모습, 완벽함을 가장한 매스게임, 설명이 없다면 신혼여행지라고 착각할 수밖에 없는 장소, 바로 등 뒤에서 혹은 계단 위 먼 곳에서 작가를 바라보고 있는 그들의 시선처럼 우리와 그들은 똑같이 바라보고 서로에게 동일한 불합리함과 부조리함을 느낀다.

　　작가의 말처럼 "그렇다면 우리는 정말 행복할까?"

| 남승헌

As NOH, Suntag works on Smells like the division of the <Korean peninsula>(2004), <The StrAnge Ball>(2006), <Red House>(2007), he approaches the subject, the division of our country, with diverse dimensions. The events do not head in one direction. The great event of division has also been dotted with mutual conflicts throughout its long history. NOH, Suntag catches the clues at the spot where the conflicts are occurring, collects them and classifies them. Based on these analyses, his works achieve its organic composition through Brecht's concept of alienation effect. This way, he tries to avoid the risk of miscommunications and epistemological mistakes. Besides this methodology gives us an opportunity to break down the solid wall-the reality we have trusted in.

　　The division of Korea is not only expressed with a physical space, the DMZ, but is described colorfully at Mangwol-dong cemetery in Gwangju, at the operation sites of the US Army, at the assembly of right-wing groups, at the exhibition of a painter who has escaped from North Korea, at the surrealistic space made by the aura of 'the strange ball' standing on a field in Daechuri, and with the ludicrous situation that even turns the division itself into means of profit. Likewise, the photos of North Korea follow this methodology. The ingenious contrast between a cigarette stuck in a tourist's hand and the Juche tower, mass games showing off false perfection, places you would mistake for a honeymoon destination if there weren't any explanations, people staring at the photographer from behind his back or on top of the stairs…. We look at them, and they look at us with the same irrational and absurd feeling.

　　The artist asks "So are we really happy then?"

| Nam, Seungheon

야니스 콘토스 Yannis Kontos Greece, 1971-

그리스 출신의 젊은 포토저널리스트 야니스 콘토스는 프랑스의 국제 에이전시인 시그마와 감마, 미국의 폴라리스 이미지의 전속 사진가이기도 하다.

그는 팔레스타인, 이스라엘, 서사하라, 시에라 레온, 북한, 인도네시아에서부터 이란, 콜롬비아에 이르기까지 비교적 굵직하고 장시간을 요하는 사진취재를 맡아 왔다.

최근에는 이라크, 아프가니스탄, 코소보에서 벌어진 전쟁, 2000년 남부 레바논 문제, 2001년 이탈리아 제노바에서 있었던 반세계주의 시위, 2002년 인도-파키스탄 간의 국경분쟁, 2005년 6월의 런던 테러 공격, 네팔 마오주의 게릴라들의 생활상 등을 보도하며 세계 유수의 유력 잡지에 이름을 실었다. 동시에 포토저널리스트로서는 드물게 그의 사진들은 미술관에 자주 초대되었다.

야니스 콘토스는 2005, 2006년 두 번에 걸쳐 북한을 여행하였다. 그의 사진 속에 나타난 장면들은 현재 우리의 관점에서 본다면 기묘하고 납득이 가지 않는 느낌으로 다가온다. 칼리슈니코프를 들고 지나치는 소녀들, 광고판 없이 고층 빌딩으로만 채워진 채 10일 동안이나 전기가 들어오지 않아 침묵이 흐르는 대도시의 밤, 지나치게 큰 코를 가진 적으로 묘사해 무섭기보다는 오히려 우스꽝스러운 미군 인형, 그리고 그것을 부수면서 스트레스를 푸는 주민들의 일상. 이러한 삶은 수십 년 전 우리의 삶과 크게 달라 보이지 않는다.

| 남승헌

Yannis Kontos, a young photojournalist from Greece, has collaborated with the French international agencies SYGMA(1998-2000) and GAMMA(2001-2002) and the American POLARIS IMAGES from its inception to date.

He has undertaken long assignments covering the world's most important events, traveling from Palestine, Israel, West Sahara, Sierra Leone, North Korea, Indonesia to Iran and Colombia.

Over the past years, he has covered the wars in Iraq, Afghanistan and Kosovo, the South Lebanon conflict in 2000, the anti-globalization protests in Genoa, Italy in 2001, the India-Pakistan standoff over the border in 2002, the terrorist attacks in London in July 2005, and the life of Maoist guerrillas in Nepal. His photos have been printed in the most notable magazines in the world. They have also been particularly exhibited in many art galleries, which is unusual for a photojournalist.

Yannis Kontos traveled North Korea twice in 2005 and 2006. The scenes in his photographs might seem queer and incomprehensible to us now : Young girls walking with kalashnikov rifles in their hands, the still and silent metropolis with skyscrapers short of electricity, dummies of American soldiers looking ludicrous rather than scary due to their big noses, inhabitants of North Korea smashing them as a stress relief game…. But these daily routines are quite similar to the ones we had to go through no more than a few decades ago.

| Nam, Seungheon

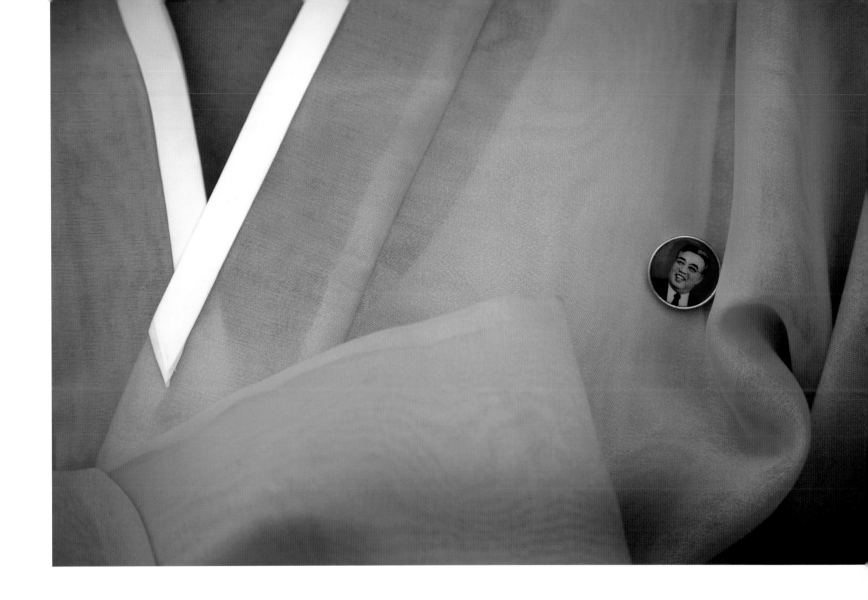

정은진 Jean Chung South Korea, 1970-

"정은진의 작업은 그저 대상을 촬영하는 데 그치지 않는다. 그녀는 작품을 매우 성숙한 사진가의 눈과 탁월한 포토 스토리 능력으로 다시 만들어낸다. 그녀의 포토 스토리는 아름답게 빛나는 장면들로 이루어져 있다. 이는 정은진이 상처를 어루만질 줄 아는 감수성과 인간에 대한 존경심을 지녔기에 가능한 일이다." — 다프네 앙글레, 『뉴욕타임스』 유럽권 사진담당 편집자

평양에서의 세계여자권투 챔피언 방어전, 그 숨 막히는 접전의 현장을 정은진은 그만의 감각으로 기록한다. 이는 그간의 아프가니스탄 빈곤 문제, 아프리카 여성 문제를 강력한 사진과 훌륭한 스토리로 보여주었던 일련의 작업들과 크게 다르지 않다.

2005년 10월 21일, 평양 류경정주영체육관. 1만 2천여 명의 북한 관중들은 북한의 여전사 김광옥, 류명옥, 한은순 선수 등 프로권투선수들이 태국, 멕시코 그리고 미국 권투선수들과 맞서 치르는 접전을 숨을 죽이며 지켜보았다. 세계 주요 대회에서 두각을 나타냈지만 아직 아마추어에 머물러 있던 북한 여자 선수들이 2004년 중국 선양의 국제대회를 계기로 프로로 데뷔한 지 1년, 그들은 특유의 투지와 스피드, 향상된 기술로 태국과 멕시코, 미국 프로선수들을 차례로 물리친 것이다. 그중 김광옥 선수는 중앙체육학원 소속의 북한 최고 프로복싱 스타로서, 2004년 중국 선양에서 열렸던 국제여자복싱협의회(IFBA) 밴텀급 타이틀을 따낸 바 있다.

김 선수는 이날 챔피언 방어전에서 멕시코의 야스민 리바스와 맞서 방어전에 성공한다. 관중들은 "일없다"며 북한 여자 선수들을 응원했으며, 이들 3명 모두는 이에 보답이라도 하듯 방어전을 모두 승리로 이끌었다.

| 박정아

"Jean's work did not strike us just because of her subject matter. She treated her subject with a very mature photographic eye and a true journalistic storytelling talent. Her pictures showed a variety of situations and portraits – the suffering mother, men carrying a mother's coffin across the Afghan landscape, the mourning family, the orphaned baby lying alone which, put together, told an eloquent story. With her beautifully lit scenes, Jean told this story with sensitivity and respect for her subject, which touched the jury." — Daphné Anglès, The European Coordinator of Photography for *The New York Times*

At the World Women's Boxing Championship held in Pyongyang, Jean Chung captured moments of the breathtaking match in her own style. Jean has already proved herself with impressive photographs and outstanding stories based on issues like poverty in Afghanistan and the African women's rights.

On October 21st, 2005, about 12,000 spectators at the Ryugyong Chung, Juyung Gymnasium were holding their breath, watching North Korean professional boxers Kim, Kwangok, Ryu, Myeongok, Han, Eunsun and more fighting against boxers from Thailand, Mexico and America. These North Korean boxers, while doing well in the world championships, were still amateurs. So they made their debut as professional boxers in the 2004 international competition held in Shenyang, China. After one year, they managed to beat professional boxers from Thailand and America using their concentration, speed, and better skills. Among them, Kim, Kwangok was the top boxing star, who also belonged to Central School of Athletics. She won the International Females Boxers Association(IFBA) bantamweight title in Shenyang, China in 2004.

That day, Kim, Kwangok succeeded in defending her title against Yasmin Rivas from Mexico. The spectators were cheering and shouting "Il eop da" (literally meaning "It's okay") and all of the three boxers gained victory in response.

| Park, Junga

라오 리우 Lao Liu China, 1963-

"예술은 배신을 하지 않는다. 그것이 예술의 매력이다."

라오 리우는 15살부터 미술작업을 시작했다. 모국이나 외국에서 고등교육을 받은 적은 없었지만, 서예, 회화, 사진 등을 모두 독학으로 소화하며 성장하였다. 그 가운데 사진작업을 가장 좋아하였고 그런 이유로 현재까지 사진가로서 활동을 해 오고 있다. 최근에는 베이징과 뉴욕을 오가며 왕성하게 전시회를 열고 있으며 한국에서도 수차례 전시를 개최한 바 있다.

북한을 촬영한 작업인 〈38선을 넘어선 몸짓〉은 이미 오래전부터 계속되어 왔다. 중국인의 신분으로, 비교적 자유롭게 한반도를 여행하면서 촬영을 할 수 있었던 그가 느낀 남북한의 차이는 너무나 크고 명백한 것이었다. 비록 당사자의 이해관계가 아닌 제3자의 시선으로 바라본 한반도임에도 불구하고 그가 보여주는 사진들은 곳곳에 따뜻함이 묻어난다. 아리랑축제에서 한복을 차려입은 여인들의 수만 가지 다양한 표정들, 우리가 생각하는 일체화한 매스게임과는 달리 순간순간 다른 몸짓을 보여주는 사람들, 그리고 이슬람인들의 라마즈 의식과 광화문을 장식했던 월드컵 응원 열기, 달라이 라마를 숭배하는 티벳인들의 축제를 동시에 바라보는 상대적인 시선. 그가 기록하고 있는 우리에 대한 모습은 우리보다 더욱더 열려 있는 것일지도 모른다.

| 남승헌

"Art never betrays you. That's why it is so fascinating."

Lao Liu started drawing at the age of 15. Having never had proper education inside nor outside China, he grew up studying calligraphy, painting and photography all by himself. He particularly liked photography and thus is working as a photographer to date. Over the past few years, Lao Liu has opened exhibitions in Beijing and New York and also held several exhibitions in Korea.

Lao Liu worked on <Dance Across the 38 Parallel>, taking photos of North Korea for many years. As a Chinese person, he was able to travel the Korean Peninsula without many restrictions and soon became aware of the obvious, wide gap between the South and the North. Although he is not a Korean, his photos reflect his warm heart towards the people. You can feel his relative viewpoint in the photos of women in Hanboks with various looks on their faces at the Arirang Festival, people in mass games showing off different gestures every moment — unlike the stereotyped image we have in our mind, Islamites offering Namaz(prayer), street cheering at Kwanghwamun when South Korea held World Cup, Tibetans worshipping Dalai Lama in a festival…. Perhaps he is more capable of recording our lives in a open-minded way than we are ourselves.

| Nam, Seungheon

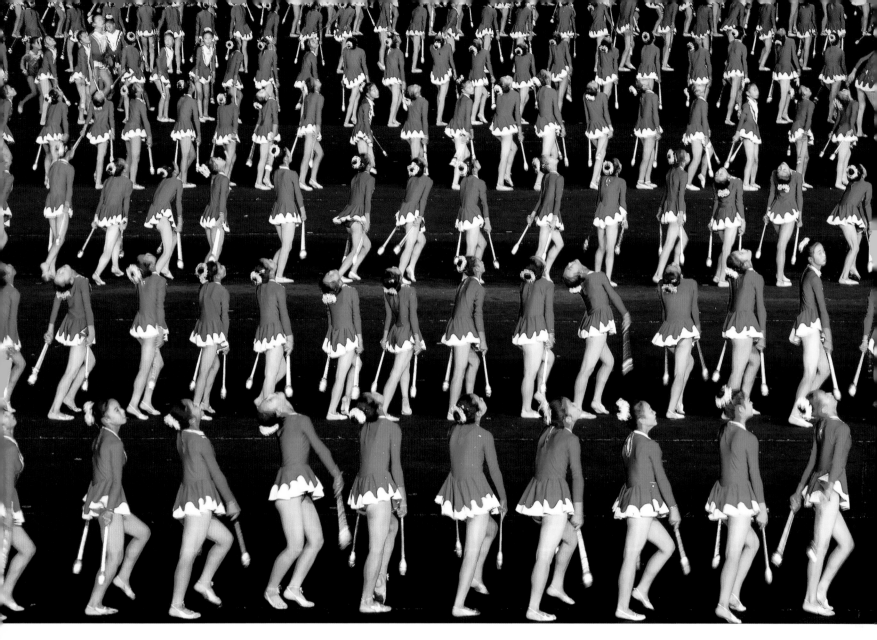

90

찰리 크레인 Charlie Crane UK, 1975-

찰리는 그의 표현대로 '이 비밀스러운 국가'를 촬영하기 위해 1년을 꼬박 기다려야 했다. 어렵사리 발을 들인 이곳, 평양에서 그는 처음 온종일 로봇 같았던 수행원들과 폴라로이드 사진을 찍으며 며칠 사이 친근한 관계가 된 것을 회고한다.

그의 사진 속 북한의 모습은 아주 정돈되어 있으며 등장인물 역시 경직되어 마치 그가 처음 북한을 방문했을 때를 보여주는 듯하다. 지극히 격식을 갖춘 복장과 자세의 북한 사람들을 프레임에서 한가운데 배치하고 어떠한 왜곡 없이 정면에서 바라본 찰리의 시선. 여기에 사건을 있는 그대로 전달해야 하는 책임을 느끼는 여느 다큐멘터리 사진가들과는 차별화한 광고사진가로서의 그만의 감성이 엿보인다.

이는 우리로 하여금 북한 사람들을 제3자의 입장에서 방관하는 것이 아니라 그들과 마주 보고 있다고 착각하도록 유도한다. 굳게 다문 입술과 흔들리지 않는 시선으로 우리를 마주한 사진 속 인물들은 너무나 강렬해서 다른 곳으로 눈을 돌리기 어려울 만큼 묵묵한 힘을 내뿜으며 제자리를 지키고 있다.

| 박정아

Charlie Crane had to wait for one whole year to cover "this secretive country." He recalls the stiff, robot-like attendants in Pyongyang when he finally entered the country, and how he became friends with them in a few days by using his Polaroid camera.

The scenes of North Korea shown in his photos are very tidy and the characters also look rigid, just like what he said about his first day there. Charlie places the North Korean people in their extremely formal clothes and gestures right in the middle of the frame and points his camera straight to the front without any distortions. We can sense his unique style as an advertising photographer, different from the documentary photographers who work under the responsibility that they have to convey the facts of an event.

These photos doesn't leave us to look at the North Korea people with an unconcerned attitude. Instead, it creates an illusion that we are standing face to face with them. The impression the characters make with their firmly closed lips and fixed gazes is so strong that it's hard to turn away. They stand still on the spot, enduring the silence.

| Park, Junga

이장욱 Chang W. Lee USA, 1968-

이장욱은 1968년 한국 출생으로, 미국 『뉴욕타임스』에서 활동하며 인정받은 사진기자이자 다큐멘터리 작가이다. 그간 아프가니스탄 내전, 이라크전, 콜롬비아 지진 사태를 비롯하여 2001년 미국의 9·11 테러 등 전 세계 주요 사건 현장을 무대로 활발한 활동을 해 왔다. 2001년에는 『뉴욕타임스』의 아프가니스탄 내전 특집과 9·11 테러 취재 특종으로 '퓰리처상'을 두 차례 수상한 바 있다.

이번 2008 대구사진비엔날레 특별전시인 「변해 가는 북한 풍경」전에서 그의 사진이 갖는 특색은 대학 초기까지 한국에서 살아오면서 서양의 사진가들이 경험하지 못한 북한에 대한 한민족으로서의 동포애를 몸소 경험하였고, '퓰리처상'을 두 번이나 받은 세계 일류 사진기자로서의 현장 경험을 바탕으로 북한의 감시와 통제를 극복하며 촬영하였다는 데 있다. 이러한 배경이 있기에 그동안 북한을 촬영한 많은 서양 사진기자 및 사진가들의 사진에서 찾아볼 수 없었던 세밀한 북한 사회의 모습을 애정 어리면서도 정확한 시선으로 관찰하고 기록하여 사실적으로 보여주고 있다.

"사진은 바로 제 삶 그 자체입니다. 사진을 찍는 일은 나의 모습을 만들어 가는 과정이고 나의 작업들은 내 모습이 되고 내 이름이 되는 것입니다." — 이장욱, 서울 프레스센터 초청강연 중에서

| 김학기

Chang W. Lee was born in Korea in 1968. He is a staff photographer for *The New York Times* and an acknowledged photojournalist and documentary artist. He has been all over the world covering important issues — the Afghanistan war, Iraq war, earthquakes in Columbia and 9/11 terrorist attacks that occurred in the US in 2001. He has received the Pulitzer Prize twice, once as part of *The New York Times* staff team for the Feature Story Category(Afghanistan), and once for the Breaking Story Category(9/11 terrorist attacks).

His participation in the special exhibition of 2008 Daegu Photo Biennale, "Changing Social Landscape : DEMOCRATIC PEOPLE'S REPUBLIC OF KOREA 1950-2008" has a significant meaning. As a Korean who lived in Korea until his early 20s, he already has something the western photographers don't — compatriotic love for the North Korean people. And as a world class photojournalist, twice a Pulitzer prizewinner, he has succeeded in covering North Korea in spite of the authoritarian surveillance and regulation, probably because he spent his career in countless conflict areas. Chang W. Lee observed and recorded the details of North Korean society in an affectionate yet precise method and presents a realistic view of it. His photos certainly reveal features that other western photojournalists or photographers have never shown.

"To me, photography is my life itself. Taking pictures is the process of shaping myself. Eventually my works becomes my image and my name." — During his speech at Seoul Press Center

| Kim, Hakki

마가렛 버크-화이트 Margaret Bourke-White
01-06. 북한, 장소 미상, 1952 North Korea, Location Unknown, 1952

크리스 마커 Chris Marker
01. 북한, 비무장지대 1955 North Korea, DMZ, 1955
02-03. 북한, 평양, 1955 North Korea, Pyongyang, 1955
04. 북한, 원산, 1955 North Korea, Wonsan, 1955
05. 북한, 평양, 1955 North Korea, Pyongyang, 1955
06. 북한, 원산, 1955 North Korea, Wonsan, 1955
07. 북한, 평안남도 강서고분, 1955 North Korea, an ancient tomb, Gangseo, Pyongannam-do, 1955

김희중 H. Edward Kim
01-02. 북한, 황해도, 1973 North Korea, Hwanghae-do, 1973
03-07. 북한, 평양, 1973 North Korea, Pyongyang, 1973

구보타 히로지 Hiroji Kubota
01. 북한, 함경북도, 청진, 1986 North Korea, Chongjin, Hamgyongbuk-do,1986
02. 북한, 황해도, 개성, 1997 North Korea, Kaesong, Hwanghae-do, 1997
03. 북한, 함흥, 1981 North Korea, Hamhung, 1981

마리오 암브로지우스 Mario Ambrosius
01-03. 북한, 평양, 1987 North Korea, Pyongyang, 1987
04-05. 북한, 평안북도, 묘향산, 1987 North Korea, Myohyangsan, Pyonganbuk-do, 1987
06-07. 북한, 평양, 1987 North Korea, Pyongyang, 1987

석임생 Seok Imsaeng
01. 북한, 함경남도, 북청군, 용경리, 1998 North Korea, Bukchong-gun, Hamgyongnam-do, 1998
02-03. 북한, 함경남도, 금호지구, 1998 North Korea, Geumho-jigu, Hamgyongnam-do, 1998

04. 북한, 함경남도, 노동자구, 1998 North Korea, Nodongja-gu, Hamgyongnam-do, 1998
05. 북한, 함경남도, 북청군, 용정리, 1998 North Korea, Yongjung-li, Hamgyongnam-do, 1998
06. 북한, 함경남도, 강상리, 1999 North Korea, Gangsang-li, Hamgyongnam-do, 1999
07. 북한, 함경남도, 금호지구, 속후리, 1998 North Korea, Sokhu-li, Hamgyongnam-do, 1998

노순택 NOH Suntag
01-07. 북한, 평양, 2007 North Korea, Pyongyang, 2007

야니스 콘토스 Yannis Kontos
01. 북한, 평양, 2006 North Korea, Pyongyang, 2006
02. 북한, 평양, 2005 North Korea, Pyongyang, 2005
03. 북한, 평양, 2006 North Korea, Pyongyang, 2006
04-05. 북한, 평양, 2005 North Korea, Pyongyang, 2005
06-07. 북한, 평양, 2006 North Korea, Pyongyang, 2006

정은진 Jean Chung
01-06. 북한, 평양, 2005 North Korea, Pyongyang, 2005
07. 중국, 선양, 2004 China, Shenyang, 2004

라오 리우 Lao Liu
01-07. 북한, 평양, 2005 North Korea, Pyongyang, 2005

찰리 크레인 Charlie Crane
01-03. 북한, 평양, 2005-2006 North Korea, Pyongyang, 2005-2006
04. 북한, 평양, 2006 North Korea, Pyongyang, 2006
05-07. 북한, 평양, 2005-2006 North Korea, Pyongyang, 2005-2006

이장욱 Chang W. Lee
01-07. 북한, 평양, 2008 North Korea, Pyongyang, 2008

마가렛 버크-화이트 Margaret Bourke-White

1904	미국 뉴욕 출생
1927	미국 코넬 대학교 생물학 학위
1929	『포춘』지 최초의 사진기자
1930	서방 사진기자 중 최초로 소련 입국 허가를 받음
1935	『라이프』지 최초의 여성 포토저널리스트
1971	미국 코네티컷에서 사망

출판

1986	『전쟁의 양식』, 데이비드&찰스 출판사, 영국
1963	『자화상』, 사이먼&슈스터 출판사, 영국
1949	『자유의 길목에서 : 뉴 인디아에 관한 보고서』, 사이먼&슈스터 출판사, 영국
1946	『조국에게』, 고요한 안식처, 사이먼&슈스터 출판사, 영국
1944	『그들은 그것을 "진홍빛 마음의 계곡"이라고 불렀다』, 사이먼&슈스터 출판사, 영국
1942	『러시아 전쟁의 기록』, 사이먼&슈스터 출판사, 영국
1939	『다뉴브의 북쪽』, 바이킹 출판사, 미국
1937	『당신은 그들의 모습을 보았다』, 모던 에이지 북스, 미국

1904	Born in New York, USA
1927	Received a degree in Herpetology from Cornell University in Ithaca, NY, USA
1929	The first photographer for *Fortune* magazine
1930	The first Western photographer allowed into the Soviet Union
1935	The first female photojournalist for *Life* Magazine
1971	Death in Connecticut, USA

Publications

1986	*The Taste of War*, David & Charles, UK
1963	*Portrait of Myself*, Simon and Schuster Publishing, UK
1949	*Halfway to Freedom: a report on the new India*, Simon and Schuster Publishing, UK
1946	*Dear Fatherland*, rest quietly, Simon and Schuster Publishing, UK
1944	*They Called it "Purple Heart Valley"*, Simon and Schuster Publishing, UK
1942	*Shooting the Russian War*, Simon and Schuster Publishing, UK
1939	*North of the Danube*, Viking Press, USA
1937	*You Have Seen Their Faces*, Modern Age Books, USA

크리스 마커 Chris Marker

1921	프랑스 파리 근교 노이지 시르 센 출생
1937-1939	장 폴 사르트르로부터 철학 수학
현재	파리에서 생활 및 활동

1921	Born in Neuilly-sur-Seine near Paris, France
1937-1939	Studied philosophy under Jean-Paul Sartre 1937-1939
	Lives and works in Paris

전시

2007 「스태어링 백」, 벡스너센터 갤러리, 콜럼버스, 미국

「스태어링 백」, 피터 블룸 갤러리, 뉴욕, 미국

2005 「할로우 맨」, 프리픽스 현대미술관, 토론토, 캐나다

영화

2000 〈안드레이 타르코프스키의 하루〉

1992 〈마지막 볼셰비키〉

1990 〈베를린 1990〉

1988 〈도쿄의 나날들〉

1985 〈구로사와 아키라의 초상〉

1984 〈2084〉

1983 〈태양 없이〉

1962 〈선창〉

출판

2008 「북녘 사람들」, 눈빛출판사, 한국

1959 「Coréennes」, 쇠이으, 프랑스

Exhibitions

2007 "Staring Back", Wexner Center Galleries, Columbus, USA

"Staring Back", Peter Blum Gallery, New York, USA

2005 "The Hollow Men", Prefix Institute of Contemporary Art, Toronto, Canada

Films

2000 〈One Day in the Life of Andrei Arsenevich〉

1992 〈Le Tombeau d'Alexandre aka The Last Bolshevik〉

1990 〈Berlin 1990〉

1988 〈Tokyo Days〉

1985 〈A. K.〉

1984 〈2084〉

1983 〈Sans Soleil〉

1962 〈La Jetée〉

Publications

2008 *Coréennes*, North Koreans, Noonbit Publishing Co., South Korea

1959 *Coréennes*, Aux editions du Seuil, France

김희중　H. Edward Kim

1940 대한민국 서울 출생

1960 연세대학교 심리학과, 서울

1965 텍사스 주립대학교 신문학과 석사, 미국

1967 미주리 대학교 신문방송대학원 수료, 미국

1980–1985 「내셔널 지오그래픽」 편집장

1999–2000 「GEO」 편집장

2008 대구사진비엔날레 조직위원장, 한국

전시

2008 「집으로 가는 길」, 고은미술관, 부산, 한국

1964 초청 사진 개인전, 달라스 현대미술관, 미국

1958 제2회 사진 개인전, 경기고등학교, 한국

1940 Born in Seoul, South Korea

1960 Studied in Psychology, Yonsei University, Seoul

1965 Graduated from Journalism, East Texas State University, USA

1967 Studied in Photojournalism, University of Missouri, Graduate School of Jour-nalism, USA

1980–1985 Editor of layout, *National Geographic* Magazine

1999–2000 Editor of layout, *GEO*

2008 A Chairman of Daegu Photo Biennale, Daegu, South Korea

Exhibitions

2008 "Homeward Bound", GoEun Museum of Photography, Pusan, South Korea

1964 Solo Photography, Exhibition, Dallas Museum of Modern Art, USA

1957	제1회 사진 개인전, 경기고등학교, 한국

수상

1974	미국 해외취재기자단 최우수 취재상, 미국
1971	미국 기자단 최우수 사진편집인상, 미국
1966	미주리 대학교 대학원 최우수 학생공로상, 미국

출판

2007	『집으로 가는 길』, 한길아트, 한국
1981	『인형의 가족』, 디자인하우스, 한국
1979	『대한민국 : 언덕을 넘어』, 고단샤 출판사, 일본

1958	2nd Solo Exhibition, Kyunggi High School, South Korea
1957	1st Solo Exhibition, Kyunggi High School, South Korea

Awards

1974	The First Prize, The Overseas Press Club of America, USA
1971	Award of Excellent Editor of Photography, University of Missouri, USA
1966	Award of Excellent Student, Graduate School of University of Missouri, USA

Publications

2007	*Homeward Bound*, Hangil Art, South Korea
1981	*The Family of Dolls*, Design House, South Korea
1979	*Korea : Beyond the Hills*, Kodansha Publishing, Japan

구보타 히로지　Hiroji Kubota

1939	일본 출생
1962	와세다 대학교 정치학 학사
1971	매그넘 회원

전시

2008	「매그넘 코리아전」, 예술의전당, 한국
2001	「우리가 스스로 살아갈 수 있는가?」, 아시아 소사이어티, 뉴욕, 미국
1997	「동방을 넘어 : 오늘날 아시아의 사진들」, 에쿼터블 갤러리, 뉴욕, 미국
1992	「바다에서 빛나는 바다로 : 미국의 자화상」, 코코란 미술관, 워싱턴 D.C., 미국
1991	「중국 : 사진전」, 도쿄 후지 미술관, 도쿄, 일본

수상

1983	마이니치 예술상, 일본
1982	넨도 쇼 연례상, 포토그래픽 소사이어티 오브 재팬, 일본
1970	고단샤 출판사 문화상, 일본

출판

2004	『일본』, 노턴 출판사, 영국

1939	Born in Japan
1962	Graduated from political science, Tokyo's University of Waseda, B. A.
1971	Magnum associate

Exhibitions

2008	"Korea As Seen by Magnum Photographers", Seoul Art Centre, South Korea
2001	"Can We Feed Ourselves?", Asia Society, New York, USA
1997	"Out of the East : Recent Photographs of Asia", Equitable Gallery, New York, USA
1992	"From Sea to Shining Sea : A Portrait of America", Corcoran Gallery of Art, Washington, D.C., USA
1991	"China : Exhibition of Photographs", Tokyo Fuji Art Museum, Tokyo, Japan

Awards

1983	Mainichi Art Prize, Japan
1982	Nendo Sho (Annual Award), Photographic Society of Japan, Japan
1970	Kodansha Publishing Culture Award, Japan

Publications

2004	*Japan*, W.W. Norton & Company, UK

2000	「우리가 스스로 살아갈 수 있는가?」, 매그넘 포토, 미국
1997	「동방을 넘어 : 아시아의 변천과 전통」, 노턴 출판사, 미국
1988	「북녘의 산하 : 백두산, 금강산」, 이와나미 쇼텐 출판사, 일본
1985	「중국」, 콜린스 출판사, 영국 / 노턴 출판사, 미국

2000	*Can We Feed Ourselves?*, Magnum Photos, Inc., USA
1997	*Out of the East : Transition & Tradition in Asia*, W. W. Norton & Company, USA
1988	*The Mountains of North Korea : Mts. Paekdu & Keumgang*, Iwanami Shoten, Japan
1985	*China*, Collins, UK / W.W. Norton & Company, USA

▌마리오 암브로지우스 Mario Ambrosius

1959	스위스 바덴 출생
	베를린 예술대학 졸업
	베를린 자유대학 예술학 석사

1959	Born in Baden, Switzerland
	Graduated from Berlin Art University(former HdK)
	Master of Arts at Free University of Berlin

전시

2007	「la donna è mobile」, 일레인 레비 프로젝트, 브뤼셀, 벨기에
	「스코프 뉴욕」, 뷔첸하우젠 아트스페이스, 뉴욕, 미국
2006	「베를린의 기록」, 뷔첸하우젠 아트스페이스, 베를린, 독일
2005	「ma poupée japonaise」, 뷔첸하우젠 아트스페이스, 암스테르담, 네덜란드
	「여성 누드」, 갤러리 아구스 포토쿤스트, 베를린, 독일
2004	「세상은 아름다워」, 미즈마 아트 갤러리, 도쿄, 일본
2003	「바그다드 카페 위의 폭탄」, 아톰 하트 머더 갤러리, 도쿄, 일본
	「프리즈 아트 페어」, 미즈마 아트 갤러리, 런던, 영국
2001	「5년 – 30인의 사진가들」, 갤러리 아구스 포토쿤스트, 베를린, 독일
1999	「게이샤 F」, 미즈마 아트 갤러리, 도쿄, 일본 / 악치온스 갤러리, 베를린, 독일

Exhibitions

2007	"la donna è mobile", Elaine Levy Project, Brussels, Belgium
	"Scope New York", Artspace Witzenhausen, New York, U.S.A.
2006	"Berliner Liste", Artspace Witzenhausen, Berlin, Germany
2005	"ma poupée japonaise", Artspace Witzenhausen, Amsterdam, Netherlands
	"Female Nudes", Galerie argus fotokunst, Berlin, Germany
2004	"The World Is Beautiful", Mizuma Art Gallery, Tokyo, Japan
2003	"Bombs over Baghdad Cafe", Atom Heart Mother Gallery, Tokyo, Japan
	"Frieze Art Fair", Mizuma Art Gallery, London, UK
2001	"Fuenf Jahre – 30 Fotografen", Galerie argus fotokunst, Berlin, Germany
1999	"F THE GEISHA", Mizuma Art Gallery, Tokyo, Japan / aktionsgalerie, Berlin, Germany

출판

1989	「분단 한국」, 열화당, 한국

Publication

1989	*The division of Korea*, Youlhwadang, South Korea

▌석임생 Seok Imsaeng

1952	대한민국 경남 출생
1978–	사진가, 한국수력원자력(주)

1952	Born in Kyungnam, South Korea
1978–	Photographer, Korea Hydro & Nuclear Power Co. Ltd.(KHNP)

전시

2008 제2회 개인전, 도쿄, 일본

2007 제1회 개인전, 도쿄, 일본

출판

2006 「7년간 북한을 담다」, 시대정신, 한국

2005 「북녘 일상의 풍경」, 코몬즈 출판사, 일본

「북녘 일상의 풍경」, 현실문화연구, 한국

Exhibitions

2008 The 2st Solo Exhibition, Tokyo, Japan

2007 The 1st Solo Exhibition, Tokyo, Japan

Publications

2006 *Photograph : 7 years experience in North Korea*, Zeitgeist, South Korea

2005 *Landscape of North Korea's daily life*, Commons, Japan

Landscape of North Korea's daily life, Hyunsil Cultural Studies, South Korea

---

노순택 NOH Suntag

전시

2008 「비상국가」, 아트 에이전트 갤러리, 함부르크, 독일

「비상국가」, 슈투트가르트 미술관, 슈투트가르트, 독일

「전율」, 소시오-폴리티컬 미술관, 예루살렘, 이스라엘

「엘 푼토 델 콤파스」, 플로리다 호텔, 아바나, 쿠바

2007 「사회적 예술」, 반다이지마 미술관 / 후쿠오카 아시아 미술관, 일본

「앙코르 사진 페스티벌」, 씨엠립, 캄보디아

「붉은 틀」, 갤러리 로터스, 파주, 한국

2006 「얄웃한 공」, 신한갤러리, 서울, 한국

2004 「분단의 향기」, 김영섭사진화랑, 서울, 한국

출판

2008 「비상국가」, 하체 칸츠, 독일

2007 「붉은 틀」, 청어람미디어, 한국

2005 「분단의 향기」, 도서출판 당대, 한국

Exhibitions

2008 "State of Emergency", Art Agents Gallery, Hamburg, Germany

"State of Emergency", Wurttembergischer Kunstverein, Stuttgart, Germany

"Heartquake", Socio-Political Contemporary Art Museum, Jerusalem, Israel

"El Punto del Compas", Hotel Florida, Havana, Cuba

2007 "Art toward the Society", Bandaijima Art Museum / Fukuoka Asian Art Museum, Japan

2007 "Angkor Photography Festival", Siem Reap, Cambodia

"Red House", Gallery Lotus, Paju, South Korea

2006 "The StrAnge Ball", Shinhan Gallery, Seoul, South Korea

2004 "Smells like the division of the Korean peninsula", Kimyoungseob Photo Gallery, Seoul, South Korea

Publications

2008 *State of Emergency*, Hatje Cantz, Germany

2007 *Red House*, Chungaram Media, South Korea

2005 *Smells like the division of the Korean peninsula*, Dangdae publishing co., Ltd., South Korea

야니스 콘토스 Yannis Kontos

1971	그리스 이오안니나 출생
	프랑스 국제 에이전시 시그마(1998–2000), 감마(2001–2002), 미국 폴라리스 이미지 소속
2006	웨스트민스터 대학교 포토저널리즘 박사, 박사후과정 졸업, 런던, 그리스 장학학생

전시

2007	「북한 : 붉은 유토피아」, 쿠방 데 미니메 호텔, 비자 푸르 리마지, 페르피냥, 프랑스
	「가능/불가능 : 아포리아」, 프리시라스 미술관, 아테네, 그리스
	「북한 : 붉은 유토피아」, 아테네, 그리스
2006	「미국–멕시코 국경횡단」, 캐논 전시홀, 비자 푸르 리마지, 페르피냥, 프랑스
2004	「카불의 사진가들」, 포토신키리아, 데살로니키, 그리스

수상

1989	제3회 인터내셔널 플레이스 남자 주니어 콕스트 페어, 월드주니어 챔피언십, 세게드, 헝가리
1984–1991	그리스, 인터내셔널 조정경기상

출판

2007	「가능/불가능 : 아포리아」, 프리시라스 미술관, 그리스
	「북한 : 붉은 유토피아」, 프리시라스 미술관, 그리스

1971	Born in Ioannina, Greece 1971
	Associated with the French International Agencies SYGMA(1998–2000), GAMMA(2001–2002) and the American POLARIS IMAGES
2006	Graduated from Postgraduate studies, Master of Arts in Photographic Journalism, University of Westminster, London, on a Greek state scholarship

Exhibitions

2007	"North Korea : Red Utopia", Couvent des Minimes, Visa Pour L'image, Perpignan, France
	"Possible/Impossible : Aporias", Frissiras Museum, Athens, Greece
	"North Korea : Red Utopia", Frissiras Museum, Athens, Greece
2006	"US–Mexico Borders Crossing", Canon Exhibition Hall, Visa Pour L'image, Perpignan, France
2004	"Kabul Photographers", photosynkyria, Thessaloniki, Greece

Awards

1989	3rd international place in Men's Junior Coxed Pair, World Junior Championship, Szeged, Hungary
1984–1991	Greek and international awards in rowing

Publications

2007	*Possible/Impossible Aporias*, Frissiras Museum, Greece
	North Korea : Red Utopia, Frissiras Museum, Greece

정은진 Jean Chung

1970	대한민국 서울 출생
2003	미주리 대학교 대학원 저널리즘 석사
	현 월드픽처뉴스(WPN) 프리랜서 사진가

1970	Born in Seoul, South Korea
2003	Graduated from University of Missouri School of Journalism's Master's program
	Currently working as a freelance photographer for a New York – based photo agency, World Picture News

라오 리우   Lao Liu

2005 「달처럼 변하기 쉬운」, 쑹좡 TS1 현대미술관, 베이징, 중국　　　　TS1 Songzhuang, Beijing, China
　　　「표류」, 소호 456 갤러리, 뉴욕, 미국　　　　　　　　　　　　　"Drift", SOHO 456 Gallery, New York, USA
2001 「지식이 힘이다」, 현대미술전, 시단서점, 베이징, 중국　　　2001　"Knowledge is power", Contemporary Exhibition, Xidan Book Edifice, China

출판　　　　　　　　　　　　　　　　　　　　　　　　　　　**Publication**

2007 「38선을 넘어선 몸짓」, 베이징 소울 & 새비 출판사, 중국　　2007　*Dance Across the 38 Parallel*, Beijing Soul & Savvy Culture Spreading Co.,
　　　　　　　　　　　　　　　　　　　　　　　　　　　　　　　　　Ltd., China

▌찰리 크레인　Charlie Crane

1975 영국 런던 출생　　　　　　　　　　　　　　　　　　1975　Born in London, UK
20살부터 광고 편집 사진가 소니사와 포드사 사진 홍보. 편집 클라이언트 : 「뉴욕　　An advertising and editorial photographer since he was 20 photographing cam-
　타임스」지, 「W」지　　　　　　　　　　　　　　　　　　　paigns for Sony and Ford. Editorial clients include *The New York Times*
　　　　　　　　　　　　　　　　　　　　　　　　　　　　　　Magazine and *W*.

전시

2006 「평양에 오신 것을 환영합니다」, AOP 갤러리, 런던, 영국　　**Exhibition**

　　　　　　　　　　　　　　　　　　　　　　　　　　　　2006　"Welcome to Pyongyang", The AOP Gallery, London, UK
수상

2007 루시상 올해의 국제 사진가 – 심원한 시각 부문 우승자　　**Awards**
　　　크리에이티브 리뷰 포토그래피 편집 부문 연례상
　　　IPA 어워드 북아트 우승자　　　　　　　　　　　　2007　Winner of the International Photographer of the year–Deeper Perspective,
　　　블룸버그 뉴 컨템퍼러리, 런던, 버밍햄 & 맨체스터, 단체전 부문　　　Lucie Awards
　　　크리에이티브 리뷰 포토그래피 개인 작업 부문 연례상　　　Editorial Category, Creative Review Photography Annual
2006 커뮤니케이션 아트 포토그래피 연례상 셀프 프로모션 부문 우승자　　Winner of Books Art, IPA Award
　　　런던 브리티시 저널 오브 포토그래피 개인전 부문 연례상　　　Group Show London, Birmingham & Manchester, Bloomberg New Con-
2005 파리 PX3 최고의 북커버 부문 우승자　　　　　　　　　temporaries
1998 올해의 코닥 포트레이트 사진가 우승자　　　　　　　　　Personal Work Category, Creative Review Photography Annual
　　　　　　　　　　　　　　　　　　　　　　　　　　　2006　Winner of Self Promotion, Communication Arts Photography Annual
출판　　　　　　　　　　　　　　　　　　　　　　　　　Solo Show, London, British Journal of Photography Annual Award
　　　　　　　　　　　　　　　　　　　　　　　　　　　　　Winner of Self Promotion, Communication Arts Photography Annual
2007 「평양에 오신 것을 환영합니다」, 크리스 부트 출판사, 영국　　2005　Winner of Best Book Cover, PX3 Paris
　　　　　　　　　　　　　　　　　　　　　　　　　　　1998　Winner of Kodak Portrait photographer of the year

Publication

2007　*Welcome to Pyongyang*, Chris Boot, UK

이장욱　Chang W. Lee

1968	대한민국 부산 출생
1986	중앙대학교 건축학과 입학
	미국으로 이민
1990	AS. 베르겐 커뮤니티 칼리지 졸업
1993	뉴욕 대학교, 티시 스쿨 오브 아트 졸업
1994	「뉴욕타임스」 인턴십 과정
1994–	「뉴욕타임스」 사진기자
2008–	「뉴욕타임스」 수석 사진기자

전시

2005	「DMZ_2005」, 국제현대미술전, 파주 헤이리, 한국

수상

2002	기획사진 부문 퓰리처상 : 아프가니스탄 난민 생활상
	속보사진 부문 퓰리처상 : 9.11 테러

1968	Born in Busan, South Korea
1986	Admitted to Chung Ang University Architecture Study
	Immigrated to USA
1990	AS. Bergen Community College
1993	New York University, Tisch School of the Arts, BFA
1994	Internship, *The New York Times*
1994–	Present Staff Photographer, *The New York Times*
2008–	Senior Staff Photographer, *The New York Times*

Exhibition

2005	"DMZ_2005", An International Art Project, Heyri, Paju, South Korea

Awards

2002	Pulitzer Prize : *The New York Times* staff team for Feature Story(Afghanistan)
	Pulitzer Prize : Breaking Story(Sept. 11 coverage), POY, BOP, NYPPA, etc.

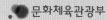

이 출판물은 2008 대구사진비엔날레의 특별전
「변해 가는 북한 풍경」전 출품 사진을 바탕으로 제작되었습니다.
이 전시는 2008년 10월 30일부터 11월 16일까지
대구문화예술회관에서 진행되었습니다.

이 전시는 대구광역시가 주최하고 대구사진비엔날레 조직위원회와
EXCO가 주관하였으며, 문화체육관광부가 후원하였습니다.
또한 중앙대학교 사진학과, 엡손, 게티이미지코리아, 캐논, 삼성의
협찬으로 이루어졌습니다.

This publication is based on the special exhibition,
"Changing Social Landscape : DEMOCRATIC PEOPLE'S REPUBLIC OF
KOREA 1950-2008" : Daegu Photo Biennale 2008,
in Daegu Culture & Arts Center, Oct 30th-Nov 16th, 2008.

This exhibition was hosted by Daegu City and initiated
by Daegu Photo Biennale Organizing Committee and EXCO.
It has received support from the Ministry of Culture, Sports and Tourism
and sponsored by Photography Department of Chung-Ang University,
Epson, gettyimageskorea, Canon and Samsung.